KB086504

하루 10분 서술형 / 문장제 학습지

수학 독해

S3 더하기와 빼기
5세~7세

Creative to Math

수학독해 : 수학을 스스로 읽고 해결하다

객관식이나 간단한 단답형 문제는 자신 있는데 긴 문장이나 풀이 과정을 쓰라는 문제는 어려워하는 아이들이 있어요. 빠르고 정확하게 연산하고 교과 응용문제까지도 곧잘 풀어내지만, 문제 속 상황이 약간만 복잡해지면 문제를 풀려고도 하지 않는 아이들도 많아요. 이러한 아이들에게 부족한 것은 연산 능력이나 문제 해결력보다는 독해력과 표현력입니다. 특히 수학적 텍스트를 이해하고 표현하는 능력, 즉 수학 독해력이지요.

요즘 아이들의 독해력이 약해진 가장 큰 이유는 과거에 비해 이야기를 만나는 방식이 다양해졌기 때문이에요. 예전에는 대부분 말이나 글로써만 이야기를 접했어요. 텍스트 위주로 여러 가지 사건을 간접 체험하고, 머릿속으로 상황을 그려내는 훈련이 자연스럽게 이루어졌지요. 반면 요즘 아이들은 글보다도 TV나 스마트폰 등 영상매체에 훨씬 빨리, 자주 노출되기에 글을 통해 상상을 할 필요가 점점 없어지게 되었습니다.

그렇다고 아이들에게 어렸을 때부터 영화나 애니메이션을 못 보게 하고 책만 읽게 하는 것은 바람직하지 않고, 가능하지도 않아요. 시각 매체는 그 자체로 많은 장점이 있기 때문에 지금의 아이들은 예전 세대에 비해 이미지에 대한 이해력과 적용력이 매우 뛰어납니다. 문제는 아직까지 모든 학습과 평가 방식이 여전히 텍스트 위주이기 때문에 지금도 아이들에게 독해력이 중요하다는 점이에요. 그래서 저희는 영상 매체에는 익숙하지만 말이나 글에는 약한 아이들을 위한 새로운 수학 독해력 향상 프로그램인 씨투엠 수학독해를 기획하게 되었어요.

씨투엠 수학독해는 기존 문장제/서술형 교재들보다 더욱 쉽고 간단한 학습법을 보여주려 해요. 문제에 있는 문장과 표현 하나하나마다 따로 접근하여 아이들이 어려워하는 포인트를 찾고, 각 포인트마다 직관적인 활동을 통해 독해력과 표현력을 차근차근 끌어올리려고 합니다. 또한 문제 이해와 풀이 서술 과정을 단계별로 세세하게 나누어 문장제, 서술형 문제를 부담 없이 체계적으로 연습할 수 있어요. 새로운 문장제 학습법인 씨투엠 수학독해가 문장제 문제에 특히 어려움을 겪고 있거나 앞으로 서술형 문제를 좀 더 잘 대비하고 싶은 아이들에게 큰 도움이 될 것이라 자신합니다.

수학독해의 구성과 특징

- 매일 부담없이 2쪽씩, 하루 10분 문장제 학습
- 매주 5일간 단계별 활동, 6일차는 중요 문장제 확인학습
- 5회분의 진단평가로 테스트 및 복습

주차별 구성

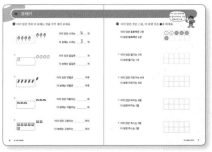

일일학습

꼬마 수학자들의
간단한 팁과 함께
매일 새롭게 만나는
단계별 문장제 활동

확인학습

중요 문장제 활동을
다시 한번 확인하며
주차 학습 마무리

	1일	2일	3일	4일	5일	확인학습
1주차	6쪽 ~ 7쪽	8쪽 ~ 9쪽	10쪽 ~ 11쪽	12쪽 ~ 13쪽	14쪽 ~ 15쪽	16쪽 ~ 18쪽
2주차	20쪽 ~ 21쪽	22쪽 ~ 23쪽	24쪽 ~ 25쪽	26쪽 ~ 27쪽	28쪽 ~ 29쪽	30쪽 ~ 32쪽
3주차	34쪽 ~ 35쪽	36쪽 ~ 37쪽	38쪽 ~ 39쪽	40쪽 ~ 41쪽	42쪽 ~ 43쪽	44쪽 ~ 46쪽
4주차	48쪽 ~ 49쪽	50쪽 ~ 51쪽	52쪽 ~ 53쪽	54쪽 ~ 55쪽	56쪽 ~ 57쪽	58쪽 ~ 60쪽

진단평가 구성

진단평가

4주 간의 문장제 학습에서 부족한 부분을
확인하고 복습하기 위한 자가 진단 테스트

	1회	2회	3회	4회	5회
진단평가	62쪽 ~ 63쪽	64쪽 ~ 65쪽	66쪽 ~ 67쪽	68쪽 ~ 69쪽	70쪽 ~ 71쪽

이 책의 차례

1주차

보태는 더하기

🌸 이미 있던 것과 더 보태는 것을 각각 세어 보세요.

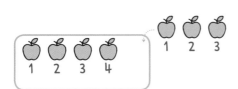

이미 있던 사과는 ___**4**___ 개

더 보태는 사과는 ___**3**___ 개

①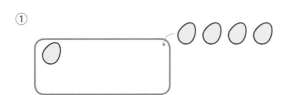

이미 있던 달걀은 _____ 개

더 보태는 달걀은 _____ 개

②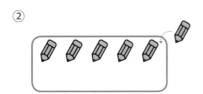

이미 있던 연필은 _____ 자루

더 보태는 연필은 _____ 자루

③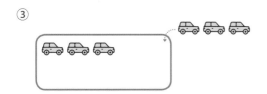

이미 있던 자동차는 _____ 대

더 보태는 자동차는 _____ 대

④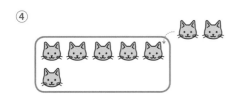

이미 있던 고양이는 _____ 마리

더 보태는 고양이는 _____ 마리

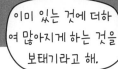

이미 있는 것에 더하여 많아지게 하는 것을 보태기라고 해.

❀ 이미 있던 것은 ○표, 더 보탠 것은 ●표 하세요.

이미 있던 동화책은 2권

더 보탠 동화책은 4권

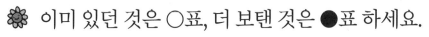

① 이미 있던 딸기는 3개

더 보탠 딸기는 1개

② 이미 있던 자전거는 6대

더 보탠 자전거는 3대

③ 이미 있던 바지는 4벌

더 보탠 바지는 2벌

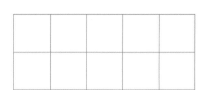

④ 이미 있던 주스는 5병

더 보탠 주스는 2병

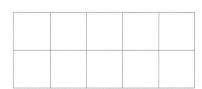

🐾 그림을 보고 밑줄친 곳에 알맞은 수를 써넣으세요.

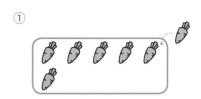

나무가 __5__ 그루 있습니다.

나무를 __2__ 그루 더 심습니다.

①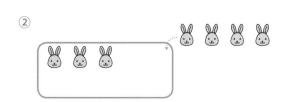

당근이 _____ 개 있습니다.

당근을 _____ 개 더 캡니다.

②

토끼가 _____ 마리 있습니다.

토끼를 _____ 마리 더 키웁니다.

③

머핀이 _____ 개 있습니다.

머핀을 _____ 개 더 만듭니다.

④

집이 _____ 채 있습니다.

집을 _____ 채 더 짓습니다.

🐞 문장과 식을 알맞게 이어 보세요.

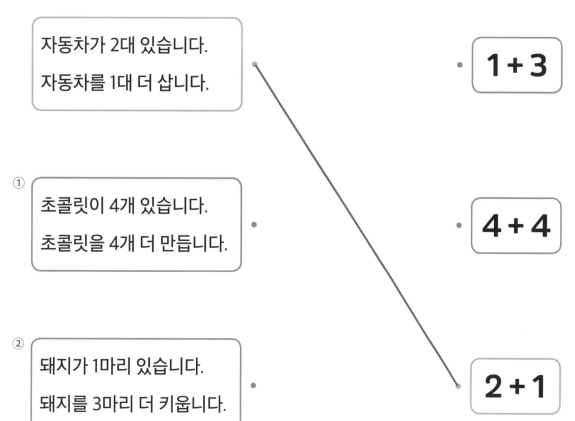

자동차가 2대 있습니다.
자동차를 1대 더 삽니다.

1 + 3

① 초콜릿이 4개 있습니다.
초콜릿을 4개 더 만듭니다.

4 + 4

② 돼지가 1마리 있습니다.
돼지를 3마리 더 키웁니다.

2 + 1

③ 장갑이 5켤레 있습니다.
장갑을 2켤레 더 삽니다.

4 + 5

④ 주사위가 4개 있습니다.
주사위를 5개 더 놓습니다.

5 + 2

🐝 문장을 읽고 알맞게 ○표 또는 ●표 하세요.

살구가 4개 있었는데 3개 더 놓았습니다.

○ : 이미 있던 살구

● : 더 놓은 살구

① 개구리가 2마리 있었는데 4마리 더 왔습니다.

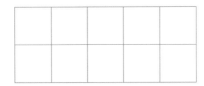

② 동화책이 3권 있었는데 2권 더 꽂았습니다.

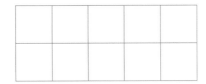

③ 나무가 1그루 있었는데 7그루 더 심었습니다.

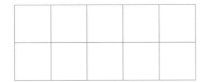

이미 있던 수는 +의 왼쪽, 나중에 보탠 수는 오른쪽에 써넣자.

🐝 문장을 읽고 알맞은 더하기 식을 만들어 보세요.

장미가 2송이 있었는데 3송이 더 피었습니다.

① 자동차가 5대 있었는데 1대 더 왔습니다.

② 연필이 3자루 있었는데 4자루 더 샀습니다.

③ 참외가 4개 있었는데 2개 더 놓았습니다.

④ 참새가 6마리 있었는데 2마리 더 날아왔습니다.

🐞 그림을 그려 더하기 식을 계산해 보세요.

3 + 5 = 8

① 4 + 2 =

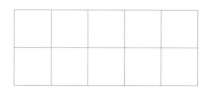

② 6 + 1 =

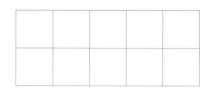

③ 2 + 3 =

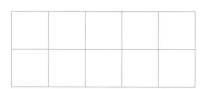

④ 2 + 7 =

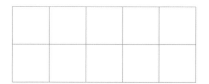

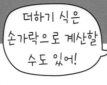

더하기 식은 손가락으로 계산할 수도 있어!

🐞 빈칸과 밑줄친 곳에 알맞은 수를 써넣으세요.

강아지가 2마리 있었는데 2마리 더 왔습니다.

강아지는 모두 ___4___ 마리입니다.

2 + 2 = 4
① ② ③ ④

① 구슬이 5개 있었는데 1개 더 놓았습니다.

구슬은 모두 _____ 개입니다.

5 + 1 = ☐

② 종이학이 3마리 있었는데 2마리 더 접었습니다.

종이학은 모두 _____ 마리입니다.

3 + 2 = ☐

③ 비행기가 1대 있었는데 6대 더 날아왔습니다.

비행기는 모두 _____ 대입니다.

1 + 6 = ☐

④ 우유가 4잔 있었는데 3잔 더 부었습니다.

우유는 모두 _____ 잔입니다.

4 + 3 = ☐

모두 몇입니까

✿ 식을 쓰고 답을 구하세요.

색종이가 1장 있었는데 4장 더 가져왔습니다.

색종이는 모두 몇 장입니까?

식 : $1 + 4 = 5$

답 : ___5___ 장

① 구슬이 2개 있었는데 1개 더 놓았습니다.

구슬은 모두 몇 개입니까?

식 : ☐ + ☐ = ☐

답 : _____ 개

② 해바라기가 5송이 있었는데 2송이 더 피었습니다.

해바라기는 모두 몇 송이입니까?

식 : ☐ + ☐ = ☐

답 : _____ 송이

③ 볼펜이 6자루 있었는데 3자루 더 샀습니다.

볼펜은 모두 몇 자루입니까?

식 : ☐ + ☐ = ☐

답 : _____ 자루

더하기 식을 정확하게 쓰는 것이 중요해.

🌸 다음 물음에 답하세요.

아이들이 3명 줄을 서 있었는데 5명 더 왔습니다.
아이들은 모두 몇 명입니까?

___8___ 명

식 : 3 + 5 = 8

① 감자가 4개 있었는데 2개 더 캤습니다.
감자는 모두 몇 개입니까?

_____ 개

② 집이 5채 있었는데 3채 더 지었습니다.
집은 모두 몇 채입니까?

_____ 채

③ 고양이가 3마리 있었는데 4마리 더 왔습니다.
고양이는 모두 몇 마리입니까?

_____ 마리

④ 양말이 2켤레 있었는데 3켤레 더 샀습니다.
양말은 모두 몇 켤레입니까?

_____ 켤레

확인학습

✏️ 문장을 읽고 알맞게 ◯표 또는 ●표 하세요.

① 물이 3잔 있었는데 3잔 더 부었습니다.

② 자동차가 5대 있었는데 2대 더 왔습니다.

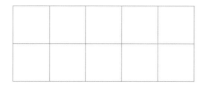

✏️ 그림을 그려 더하기 식을 계산해 보세요.

③ **4 + 1 =** ☐

④ **2 + 6 =** ☐

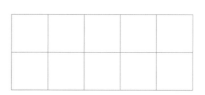

⑤ **7 + 2 =** ☐

✎ 빈칸과 밑줄친 곳에 알맞은 수를 써넣으세요.

⑥ 그림책이 6권 있었는데 1권 더 꽂았습니다.

그림책은 모두 _____ 권입니다.

6 + 1 = ☐

⑦ 연필이 4자루 있었는데 2자루 더 샀습니다.

연필은 모두 _____ 자루입니다.

4 + 2 = ☐

✎ 식을 쓰고 답을 구하세요.

⑧ 감자가 3개 있었는데 4개 더 캤습니다.

감자는 모두 몇 개입니까?

식 : ☐ **+** ☐ **=** ☐   답 : _____ 개

⑨ 색종이가 2장 있었는데 6장 더 놓았습니다.

색종이는 모두 몇 장입니까?

식 : ☐ **+** ☐ **=** ☐   답 : _____ 장

✎ 다음 물음에 답하세요.

⑩ 자전거가 1대 있었는데 2대 더 샀습니다.

자전거는 모두 몇 대입니까? _____ 대

⑪ 장갑이 4켤레 있었는데 2켤레 더 샀습니다.

장갑은 모두 몇 켤레입니까? _____ 켤레

⑫ 소나무가 5그루 있었는데 3그루 더 심었습니다.

소나무는 모두 몇 그루입니까? _____ 그루

⑬ 초콜릿이 3개 있었는데 6개 더 만들었습니다.

초콜릿은 모두 몇 개입니까? _____ 개

⑭ 음료수가 2병 있었는데 2병 더 놓았습니다.

음료수는 모두 몇 병입니까? _____ 병

2주차

모으는 더하기

🌼 그림을 보고 밑줄친 곳에 알맞은 수를 써넣으세요.

분홍색 사과는 _____4_____ 개입니다.

초록색 사과는 _____2_____ 개입니다.

①

분홍색 튤립은 _____ 송이입니다.

노란색 튤립은 _____ 송이입니다.

②

파란색 연필은 _____ 자루입니다.

주황색 연필은 _____ 자루입니다.

③

흰색 달걀은 _____ 개입니다.

노란색 달걀은 _____ 개입니다.

④

주황색 별은 _____ 개입니다.

초록 별은 _____ 개입니다.

분홍색 사과도 초록색 사과도 모두 사과야.

✿ 흰 것은 ○표, 검은 것은 ●표 하세요.

흰색 바둑돌은 5개입니다.

검은색 바둑돌은 3개입니다.

①	②	③	④	⑤
❶	❷	❸		

① 흰색 염소는 2마리입니다.

검은색 염소는 3마리입니다.

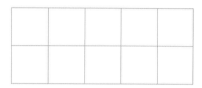

② 흰색 종이는 4장입니다.

검은색 종이는 5장입니다.

③ 흰색 셔츠는 1벌입니다.

검은색 셔츠는 4벌입니다.

④ 흰색 자동차는 6대입니다.

검은색 자동차는 2대입니다.

 문장을 읽고 알맞게 ○표 또는 ●표 하세요.

남자 아이는 3명, 여자 아이는 1명입니다.

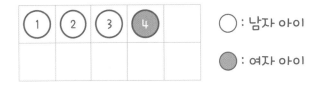

○ : 남자 아이

● : 여자 아이

① 참새는 4마리, 비둘기는 2마리입니다.

② 동화책은 2권, 그림책은 6권입니다.

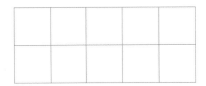

③ 장미는 5송이, 튤립은 2송이입니다.

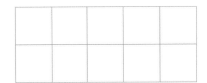

강아지와 고양이는 둘 다 동물이야.

 문장을 읽고 알맞은 더하기 식을 만들어 보세요.

강아지는 4마리, 고양이는 5마리입니다.

① 버스는 5대, 트럭은 2대입니다.

② 별사탕은 3개, 막대사탕은 3개입니다.

③ 축구공은 2개, 야구공은 3개입니다.

④ 소나무는 1그루, 은행나무는 7그루입니다.

🐝 관계있는 문장끼리 알맞게 이어 보세요.

빨간색 자동차는 5대,
파란색 자동차는 2대입니다.

바둑돌은 모두 7개입니다.

자동차는 모두 7대입니다.

① 흰색 바둑돌은 4개,
검은색 바둑돌은 3개입니다.

② 흰색 달걀은 6개,
노란색 달걀은 1개입니다.

치마는 모두 7벌입니다.

③ 빨간색 장미는 2송이,
노란색 장미는 5송이입니다.

장미는 모두 7송이입니다.

④ 분홍색 치마는 3벌,
파란색 치마는 4벌입니다.

달걀은 모두 7개입니다.

🐝 문장을 잘 읽고 알맞은 말에 ○표 하세요.

두발자전거는 2대, 세발자전거는 1대입니다.

(발은 , (자전거는) , 자동차는) 모두 3대입니다.

① 강아지는 5마리, 햄스터는 2마리입니다.

(강아지는 , 햄스터는 , 동물은) 모두 7마리입니다.

② 티셔츠는 3벌, 바지는 5벌입니다.

(옷은 , 티셔츠는 , 치마는) 모두 8벌입니다.

③ 해바라기는 4송이, 튤립은 2송이입니다.

(장미는 , 꽃은 , 나무는) 모두 6송이입니다.

④ 사과는 5개, 배는 4개입니다.

(배는 , 자동차는 , 과일은) 모두 9개입니다.

그림을 보고 더하기 식을 계산해 보세요.

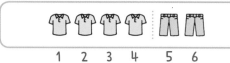

4 + 2 = 6

① 1 + 5 = ☐

② 3 + 1 = ☐

③ 5 + 3 = ☐

④ 3 + 4 = ☐

문제에 나오는
물건을 하나씩
상상해 봐.

🦋 빈칸과 밑줄친 곳에 알맞은 수를 써넣으세요.

빨간색 크레파스는 3개, 보라색 크레파스는 2개입니다.

크레파스는 모두 _____5_____ 개입니다.

$3 + 2 =$ $\boxed{5}$

① ② ③ ④ ⑤

① 버스는 4대, 택시는 4대입니다.

자동차는 모두 _____ 대입니다.

$4 + 4 =$ $\boxed{}$

② 흰색 주사위는 6개, 검은색 주사위는 1개입니다.

주사위는 모두 _____ 개입니다.

$6 + 1 =$ $\boxed{}$

③ 돼지는 2마리, 소는 7마리입니다.

동물은 모두 _____ 마리입니다.

$2 + 7 =$ $\boxed{}$

④ 주스는 2잔, 우유는 2잔입니다.

음료수는 모두 _____ 잔입니다.

$2 + 2 =$ $\boxed{}$

✿ 식을 쓰고 답을 구하세요.

초록색 구슬은 3개, 주황색 구슬은 5개입니다.

구슬은 모두 몇 개입니까?

식 : 3 + 5 = 8

① ② ③ ④ ⑤ ⑥ ⑦ ⑧

답 : _____8_____ 개

① 여자 아이는 2명, 남자 아이는 5명입니다.

아이들은 모두 몇 명입니까?

식 : ☐ + ☐ = ☐

답 : _____ 명

② 빨강 색연필은 1자루, 파랑 색연필은 4자루입니다.

색연필은 모두 몇 자루입니까?

식 : ☐ + ☐ = ☐

답 : _____ 자루

③ 십 원 동전은 5개, 백 원 동전은 1개입니다.

동전은 모두 몇 개입니까?

식 : ☐ + ☐ = ☐

답 : _____ 개

더하기 식에서 두 수를 바꾸어 계산해도 답은 똑같아.

✿ 다음 물음에 답하세요.

감자는 8개, 당근은 1개입니다.

채소는 모두 몇 개입니까? ___9___ 개

식 : 8 + 1 = 9

① 흰색 초콜릿은 4개, 검은색 초콜릿은 2개입니다.

초콜릿은 모두 몇 개입니까? _____ 개

② 기린은 3마리, 코끼리는 2마리입니다.

동물은 모두 몇 마리입니까? _____ 마리

③ 그림책은 2권, 동화책은 6권입니다.

책은 모두 몇 권입니까? _____ 권

④ 빨간색 양말은 1켤레, 보라색 양말은 3켤레입니다.

양말은 모두 몇 켤레입니까? _____ 켤레

✎ 문장을 잘 읽고 알맞은 말에 ○표 하세요.

① 감나무는 2그루, 은행나무는 1그루입니다.

(감은 ,　나무는 ,　과일은) 모두 3그루입니다.

② 안경을 낀 아이는 3명, 안경을 끼지 않은 아이는 5명입니다.

(아이들은 ,　안경은 ,　동물은) 모두 8명입니다.

✎ 그림을 보고 더하기 식을 계산해 보세요.

③

$4 + 3 =$ ☐

④

$1 + 4 =$ ☐

⑤

$2 + 6 =$ ☐

✏️ 빈칸과 밑줄친 곳에 알맞은 수를 써넣으세요.

⑥ 빨간색 별은 5개, 파란색 별은 2개입니다.

별은 모두 _____ 개입니다.

$$5 + 2 = \boxed{}$$

⑦ 까치는 3마리, 까마귀는 5마리입니다.

새는 모두 _____ 마리입니다.

$$3 + 5 = \boxed{}$$

✏️ 식을 쓰고 답을 구하세요.

⑧ 만화책은 7권, 소설책은 1권입니다.

책은 모두 몇 권입니까?

식 : $\boxed{}$ + $\boxed{}$ = $\boxed{}$

답 : _____ 권

⑨ 세모 모양 단추는 3개, 네모 모양 단추는 3개입니다.

단추는 모두 몇 개입니까?

식 : $\boxed{}$ + $\boxed{}$ = $\boxed{}$

답 : _____ 개

✎ 다음 물음에 답하세요.

⑩ 백 원 동전은 5개, 오백 원 동전은 1개입니다.

동전은 모두 몇 개입니까? _____ 개

⑪ 갈색 고양이는 3마리, 얼룩 고양이는 5마리입니다.

고양이는 모두 몇 마리입니까? _____ 마리

⑫ 택시는 1대, 버스는 3대입니다.

자동차는 모두 몇 대입니까? _____ 대

⑬ 탄산 음료는 2병, 주스는 1병입니다.

음료수는 모두 몇 병입니까? _____ 병

⑭ 빨간색 볼펜은 7자루, 검은색 볼펜은 2자루입니다.

볼펜은 모두 몇 자루입니까? _____ 자루

✿ 이미 있던 것과 덜어 내는 것을 각각 세어 보세요.

이미 있던 비행기는 __5__ 대

덜어 내는 비행기는 __2__ 대

① 이미 있던 딸기는 _____ 개

덜어 내는 딸기는 _____ 개

② 이미 있던 우산은 _____ 개

덜어 내는 우산은 _____ 개

③ 이미 있던 솜사탕은 _____ 개

덜어 내는 솜사탕은 _____ 개

④ 이미 있던 고양이는 _____ 마리

덜어 내는 고양이는 _____ 마리

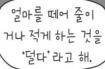

얼마를 떼어 줄이거나 적게 하는 것을 '덜다'라고 해.

🌸 이미 있던 것은 ○표, 덜어 낸 것은 ✕표 하세요.

이미 있던 연필은 7개

덜어 낸 연필은 4개

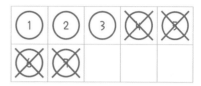

① 이미 있던 나무는 4그루

덜어 낸 나무는 2그루

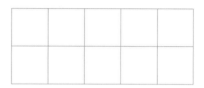

② 이미 있던 자동차는 9대

덜어 낸 자동차는 4대

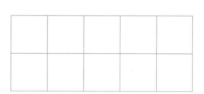

③ 이미 있던 우유는 3잔

덜어 낸 우유는 2잔

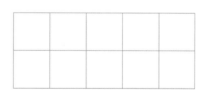

④ 이미 있던 색종이는 8장

덜어 낸 색종이는 5장

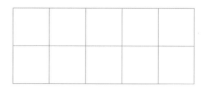

🐞 그림을 보고 밑줄친 곳에 알맞은 수를 써넣으세요.

지우개가 __7__ 개 있습니다.

지우개를 __3__ 개 줍니다.

①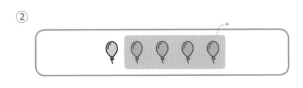

원숭이가 _____ 마리 있습니다.

원숭이가 _____ 마리 떠납니다.

②

풍선이 _____ 개 있습니다.

풍선이 _____ 개 날아갑니다.

③

초콜릿이 _____ 개 있습니다.

초콜릿을 _____ 개 먹습니다.

④

버스가 _____ 대 있습니다.

버스가 _____ 대 떠납니다.

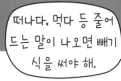

떠나다, 먹다 등 줄어
드는 말이 나오면 빼기
식을 써야 해.

🐞 문장과 식을 알맞게 이어 보세요.

아이들이 4명 있습니다.
아이가 1명 떠납니다.

4 – 1

① 참새가 7마리 있습니다.
참새가 2마리 날아갑니다.

6 – 5

② 솜사탕이 6개 있습니다.
솜사탕을 5개 먹습니다.

8 – 6

③ 동전이 9개 있습니다.
동전을 4개 줍니다.

7 – 2

④ 바지가 8벌 있습니다.
바지를 6벌 버립니다.

9 – 4

🐝 문장을 읽고 알맞게 ○표 또는 ✕표 하세요.

딸기가 6개 있었는데 1개를 먹었습니다.

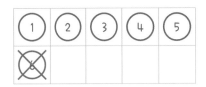

○ : 이미 있던 딸기

✕ : 먹은 딸기

① 버스가 3대 있었는데 2대가 떠났습니다.

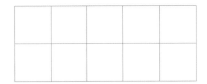

② 구슬이 8개 있었는데 4개를 잃어버렸습니다.

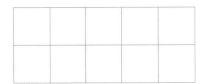

③ 까치가 5마리 있었는데 3마리가 날아갔습니다.

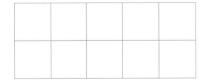

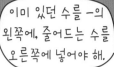

🐝 문장을 읽고 알맞은 빼기 식을 만들어 보세요.

아이들이 8명 있었는데 4명이 떠났습니다.

① 지우개가 5개 있었는데 2개를 다 썼습니다.

② 초콜릿이 4개 있었는데 3개를 먹었습니다.

③ 나비가 9마리 있었는데 7마리가 날아갔습니다.

④ 주스가 7잔 있었는데 4잔을 마셨습니다.

🐾 그림을 그려 빼기 식을 계산해 보세요.

9 – 5 = 4

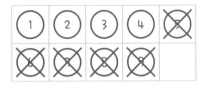

① 4 – 1 =

② 3 – 3 =

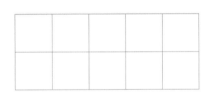

③ 7 – 2 =

④ 6 – 4 =

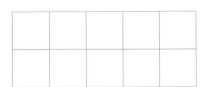

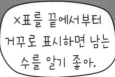

×표를 끝에서부터
거꾸로 표시하면 남는
수를 알기 좋아.

🦋 빈칸과 밑줄친 곳에 알맞은 수를 써넣으세요.

얼음이 5개 있었는데 2개가 녹았습니다.

남은 얼음은 _____3_____ 개입니다.

$$5 - 2 = \boxed{3}$$

①②③⊗⊗

① 풍선이 4개 있었는데 2개가 날아갔습니다.

남은 풍선은 _____ 개입니다.

$$4 - 2 = \boxed{}$$

② 솜사탕이 8개 있었는데 3개를 먹었습니다.

남은 솜사탕은 _____ 개입니다.

$$8 - 3 = \boxed{}$$

③ 트럭이 6대 있었는데 3대가 떠났습니다.

남은 트럭은 _____ 대입니다.

$$6 - 3 = \boxed{}$$

④ 원숭이가 9마리 있었는데 1마리가 떠났습니다.

남은 원숭이는 _____ 마리입니다.

$$9 - 1 = \boxed{}$$

✿ 식을 쓰고 답을 구하세요.

장갑이 6켤레 있었는데 3켤레를 버렸습니다.

남은 장갑은 몇 켤레입니까?

식 : $6 - 3 = 3$

①②③✕✕✕

답 : _____3_____ 켤레

① 해바라기가 4송이 있었는데 2송이가 시들었습니다.

남은 해바라기는 몇 송이입니까?

식 : ☐ − ☐ = ☐

답 : _____ 송이

② 버스가 9대 있었는데 6대가 떠났습니다.

남은 버스는 몇 대입니까?

식 : ☐ − ☐ = ☐

답 : _____ 대

③ 연필이 8자루 있었는데 1자루를 잃어버렸습니다.

남은 연필은 몇 자루입니까?

식 : ☐ − ☐ = ☐

답 : _____ 자루

줄어들고 남은 수를 구할 때는 빼기 식을 써야 해.

✿ 다음 물음에 답하세요.

색종이가 9장 있었는데 7장을 썼습니다.

남은 색종이는 몇 장입니까?　　　　　　　　　　_____2_____ 장

식 : 9 - 7 = 2

① 강아지가 5마리 있었는데 5마리가 떠났습니다.

남은 강아지는 몇 마리입니까?　　　　　　　　　_____ 마리

② 공책이 7권 있었는데 3권을 다 썼습니다.

남은 공책은 몇 권입니까?　　　　　　　　　　　_____ 권

③ 은행나무가 3그루 있었는데 2그루를 옮겼습니다.

남은 은행나무는 몇 그루입니까?　　　　　　　　_____ 그루

④ 햄버거가 6개 있었는데 1개를 먹었습니다.

남은 햄버거는 몇 개입니까?　　　　　　　　　　_____ 개

확인학습

✏️ 문장을 읽고 알맞게 ○표 또는 ✕표 하세요.

① 사탕이 7개 있었는데 3개를 주었습니다.

② 우유가 4잔 있었는데 4잔을 마셨습니다.

✏️ 그림을 그려 빼기 식을 계산해 보세요.

③ 8 – 6 = ☐

④ 5 – 4 = ☐

⑤ 9 – 3 = ☐

✎ 빈칸과 밑줄친 곳에 알맞은 수를 써넣으세요.

⑥ 음료수가 7병 있었는데 3병을 마셨습니다.

남은 음료수는 _____ 병입니다.

$$7 - 3 = \boxed{}$$

⑦ 동전이 5개 있었는데 4개를 잃어버렸습니다.

남은 동전은 _____ 개입니다.

$$5 - 4 = \boxed{}$$

✎ 식을 쓰고 답을 구하세요.

⑧ 아이스크림이 7개 있었는데 5개를 먹었습니다.

남은 아이스크림은 몇 개입니까?

식 : $\boxed{} - \boxed{} = \boxed{}$ 답 : _____ 개

⑨ 참새가 5마리 있었는데 2마리가 날아갔습니다.

남은 참새는 몇 마리입니까?

식 : $\boxed{} - \boxed{} = \boxed{}$ 답 : _____ 마리

✎ 다음 물음에 답하세요.

⑩ 별사탕이 2개 있었는데 1개를 먹었습니다.

남은 별사탕은 몇 개입니까?

_____ 개

⑪ 야구공이 6개 있었는데 2개를 잃어버렸습니다.

남은 야구공은 몇 개입니까?

_____ 개

⑫ 닭이 3마리 있었는데 1마리가 떠났습니다.

남은 닭은 몇 마리입니까?

_____ 마리

⑬ 머핀이 8개 있었는데 5개를 팔았습니다.

남은 머핀은 몇 개입니까?

_____ 개

⑭ 우유가 4잔 있었는데 3잔을 마셨습니다.

남은 우유는 몇 잔입니까?

_____ 잔

4주차

차이나는 빼기

✿ 그림을 보고 밑줄친 곳에 알맞은 수를 써넣으세요.

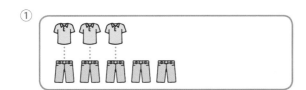

해바라기는 __6__ 송이입니다.

장미는 __4__ 송이입니다.

①

셔츠는 _____ 벌입니다.

바지는 _____ 벌입니다.

②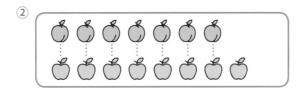

복숭아는 _____ 개입니다.

사과는 _____ 개입니다.

③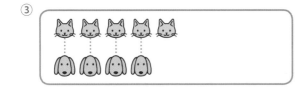

고양이는 _____ 마리입니다.

강아지는 _____ 마리입니다.

④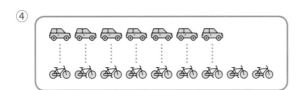

자동차는 _____ 대입니다.

자전거는 _____ 대입니다.

하나씩 이을 때 남는 것이 있는 쪽이 더 많아.

✿ 문장을 잘 읽고 알맞은 말에 ○표 하세요.

사과는 5개, 감은 3개입니다.

많은 것은 (사과, 감), 적은 것은 (사과, 감) 입니다.

사과 ○○○○○
감 ●●●

① 책은 4권, 공책은 8권입니다.

많은 것은 (책, 공책), 적은 것은 (책, 공책) 입니다.

② 소나무는 6그루, 감나무는 7그루입니다.

많은 것은 (소나무, 감나무), 적은 것은 (소나무, 감나무) 입니다.

③ 사자는 9마리, 호랑이는 6마리입니다.

많은 것은 (사자, 호랑이), 적은 것은 (사자, 호랑이) 입니다.

④ 연필은 5자루, 색연필은 2자루입니다.

많은 것은 (연필, 색연필), 적은 것은 (연필, 색연필) 입니다.

🎨 알맞게 〇표 또는 ●표 하고, 같은 수만큼 이어 보세요.

택시는 4대, 트럭은 7대입니다.

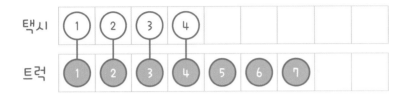

① 사탕은 5개, 초콜릿은 6개입니다.

② 장미는 8송이, 튤립은 5송이입니다.

③ 여자 아이는 7명, 남자 아이는 8명입니다.

두 수의 차를 구할 때는 큰 수에서 작은 수를 빼야 해.

🐞 문장을 읽고 알맞은 빼기 식을 만들어 보세요.

강아지는 4마리, 고양이는 6마리입니다.

6 **－** **4**
고양이   강아지

① 흰 종이는 6장, 색종이는 3장입니다.

☐ － ☐

② 소나무는 5그루, 향나무는 7그루입니다.

☐ － ☐

③ 참외는 3개, 자두는 4개입니다.

☐ － ☐

④ 연필은 8자루, 볼펜은 4자루입니다.

☐ － ☐

🐝 그림을 보고 빼기 식을 계산해 보세요.

$5 - 3 = \boxed{2}$

①

$6 - 2 = \boxed{}$

②

$9 - 6 = \boxed{}$

③

$3 - 2 = \boxed{}$

④

$8 - 3 = \boxed{}$

🐝 빈칸과 밑줄친 곳에 알맞은 수를 써넣으세요.

구두는 4켤레, 운동화는 2켤레입니다.

구두는 운동화보다 __2__ 켤레 더 많습니다.

$$4 - 2 = \boxed{2}$$

① 우유는 4잔, 주스는 7잔입니다.

주스는 우유보다 _____ 잔 더 많습니다.

$$7 - 4 = \boxed{}$$

② 달걀은 5개, 오리알은 1개입니다.

달걀은 오리알보다 _____ 개 더 많습니다.

$$5 - 1 = \boxed{}$$

③ 까마귀는 1마리, 까치는 3마리입니다.

까치는 까마귀보다 _____ 마리 더 많습니다.

$$3 - 1 = \boxed{}$$

④ 튤립은 8송이, 장미는 2송이입니다.

튤립은 장미보다 _____ 송이 더 많습니다.

$$8 - 2 = \boxed{}$$

몇 더 많습니까

🍪 식을 쓰고 답을 구하세요.

양파는 2개, 당근은 7개입니다.

당근은 양파보다 몇 개 더 많습니까?

식 : $\boxed{7} - \boxed{2} = \boxed{5}$

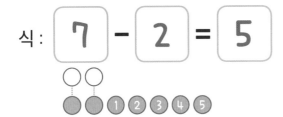

답 : ___5___ 개

① 남자 아이는 5명, 여자 아이는 3명입니다.

남자 아이는 여자 아이보다 몇 명 더 많습니까?

식 : $\boxed{} - \boxed{} = \boxed{}$

답 : _____ 명

② 초콜릿은 1개, 사탕은 4개입니다.

사탕은 초콜릿보다 몇 개 더 많습니까?

식 : $\boxed{} - \boxed{} = \boxed{}$

답 : _____ 개

③ 은행나무는 8그루, 미루나무는 4그루입니다.

은행나무는 미루나무보다 몇 그루 더 많습니까?

식 : $\boxed{} - \boxed{} = \boxed{}$

답 : _____ 그루

차를 구하는 빼기 식을 만들 때는 많은 것을 먼저 찾아야 해.

🪲 다음 물음에 답하세요.

십 원 동전은 2개, 백 원 동전은 5개입니다.
백 원 동전은 십 원 동전보다 몇 개 더 많습니까?

__3__ 개

식 : 5 - 2 = 3

① 튤립은 3송이, 해바라기는 2송이입니다.
튤립은 해바라기보다 몇 송이 더 많습니까?

_____ 송이

② 흰 종이는 5장, 색종이는 9장입니다.
색종이는 흰 종이보다 몇 장 더 많습니까?

_____ 장

③ 버스는 2대, 택시는 4대입니다.
택시는 버스보다 몇 대 더 많습니까?

_____ 대

④ 운동화는 8켤레, 구두는 5켤레입니다.
운동화는 구두보다 몇 켤레 더 많습니까?

_____ 켤레

❀ 알맞은 것에 ○표 하고, 식과 답을 쓰세요.

연필은 5자루, 색연필은 8자루입니다.

어느 것이 더 많습니까?　(연필 , (색연필))

몇 자루 더 많습니까?

식 : $\boxed{8}$ − $\boxed{5}$ = $\boxed{3}$　　　답 : ___3___ 자루

① 토끼는 3마리, 거북이는 7마리입니다.

어느 것이 더 많습니까?　(토끼 , 거북이)

몇 마리 더 많습니까?

식 : $\boxed{}$ − $\boxed{}$ = $\boxed{}$　　　답 : _____ 마리

② 사과가 5개, 배가 4개입니다.

어느 것이 더 많습니까?　(사과 , 배)

몇 개 더 많습니까?

식 : $\boxed{}$ − $\boxed{}$ = $\boxed{}$　　　답 : _____ 개

어느 것이 많은지
먼저 따진 후에 몇 더
많은지 구해야 해.

✿ 알맞은 것에 ○표 하고, 답을 구하세요.

낙타는 3마리, 타조는 2마리입니다.

어느 것이 몇 마리 더 많습니까?   (낙타 , 타조)   __1__ 마리

식 : 3 - 2 = 1

① 동화책은 5권, 그림책은 2권입니다.

어느 것이 몇 권 더 많습니까?   (동화책 , 그림책)   _____ 권

② 바지는 1벌, 치마는 6벌입니다.

어느 것이 몇 벌 더 많습니까?   (바지 , 치마)   _____ 벌

③ 토마토는 7개, 사과는 9개입니다.

어느 것이 몇 개 더 많습니까?   (토마토 , 사과)   _____ 개

④ 감나무가 4그루, 전나무가 2그루입니다.

어느 것이 몇 그루 더 많습니까?   (감나무 , 전나무)   _____ 그루

확인학습

✎ 문장을 잘 읽고 알맞은 말에 ○표 하세요.

① 잠자리는 5마리, 나비는 4마리입니다.

많은 것은 (잠자리 , 나비), 적은 것은 (잠자리 , 나비) 입니다.

② 버스는 7대, 트럭은 9대입니다.

많은 것은 (버스 , 트럭), 적은 것은 (버스 , 트럭) 입니다.

✎ 그림을 보고 빼기 식을 계산해 보세요.

③ 4 − 3 = ☐

④ 6 − 4 = ☐

⑤ 7 − 3 = ☐

✏️ 빈칸과 밑줄친 곳에 알맞은 수를 써넣으세요.

⑥ 비행기는 3대, 배는 6대입니다.

배는 비행기보다 _____ 대 더 많습니다.

6 – 3 = ☐

⑦ 어른은 7명, 아이는 9명입니다.

아이는 어른보다 _____ 명 더 많습니다.

9 – 7 = ☐

✏️ 식을 쓰고 답을 구하세요.

⑧ 자전거는 2대, 오토바이는 1대입니다.

자전거는 오토바이보다 몇 대 더 많습니까?

식 : ☐ – ☐ = ☐   답 : _____ 대

⑨ 책은 2권, 공책은 6권입니다.

공책은 책보다 몇 권 더 많습니까?

식 : ☐ – ☐ = ☐   답 : _____ 권

✎ 다음 물음에 답하세요.

⑩ 어른은 6명, 아이는 3명입니다.

　어른은 아이보다 몇 명 더 많습니까?　　　　　　　＿＿＿＿ 명

⑪ 사과는 2개, 복숭아는 7개입니다.

　복숭아는 사과보다 몇 개 더 많습니까?　　　　　　　＿＿＿＿ 개

✎ 알맞은 것에 ○표 하고, 답을 구하세요.

⑫ 지우개는 4개, 가위는 1개입니다.

　어느 것이 몇 개 더 많습니까?　　　　（ 지우개 ,　가위 ）　＿＿＿＿ 개

⑬ 장미는 5송이, 민들레는 7송이입니다.

　어느 것이 몇 송이 더 많습니까?　　　（ 장미 ,　민들레 ）　＿＿＿＿ 송이

진단평가

진단평가에는 앞에서 학습한 4주차의 문장제 활동이 순서대로 나옵니다. 잘못 푼 문제가 있으면 몇 주차인지 확인하여 반드시 한 번 더 복습해 봅니다.

1주차	3주차
2주차	4주차

✎ 빈칸과 밑줄친 곳에 알맞은 수를 써넣으세요.

① 강아지가 2마리 있었는데 5마리 더 왔습니다.

강아지는 모두 _____ 마리입니다.

$2 + 5 = \boxed{}$

② 티셔츠가 3벌 있었는데 1벌 더 샀습니다.

티셔츠는 모두 _____ 벌입니다.

$3 + 1 = \boxed{}$

✎ 문장을 잘 읽고 알맞은 말에 ○표 하세요.

③ 흰색 바둑돌은 3개, 검은색 바둑돌은 5개입니다.

(강아지는 , 바둑돌은 , 흰색 바둑돌은) 모두 8개입니다.

④ 복숭아는 6개, 자두는 1개입니다.

(과일은 , 나무는 , 꽃은) 모두 7개입니다.

✎ 다음 물음에 답하세요.

⑤ 주스가 9병 있었는데 5병을 팔았습니다.

남은 주스는 몇 병입니까? _____ 병

⑥ 자동차가 7대 있었는데 2대가 떠났습니다.

남은 자동차는 몇 대입니까? _____ 대

✎ 식을 쓰고 답을 구하세요.

⑦ 사과 주스는 5병, 딸기 주스는 7병 있습니다.

딸기 주스는 사과 주스보다 몇 병 더 많습니까?

식 : ☐ − ☐ = ☐ 답 : _____ 병

⑧ 햄스터는 5마리, 고양이는 1마리입니다.

햄스터는 고양이보다 몇 마리 더 많습니까?

식 : ☐ − ☐ = ☐ 답 : _____ 마리

✎ 식을 쓰고 답을 구하세요.

① 튤립이 6송이 있었는데 1송이 더 피었습니다.

튤립은 모두 몇 송이입니까?

식 : ☐ + ☐ = ☐   답 : _____ 송이

② 고양이가 4마리 있었는데 4마리 더 왔습니다.

고양이는 모두 몇 마리입니까?

식 : ☐ + ☐ = ☐   답 : _____ 마리

✎ 다음 물음에 답하세요.

③ 잠자리는 1마리, 나비는 1마리입니다.

곤충은 모두 몇 마리입니까?   _____ 마리

④ 빨간색 장미는 4송이, 흰색 장미는 3송이입니다.

장미는 모두 몇 송이입니까?   _____ 송이

✎ 식을 쓰고 답을 구하세요.

⑤ 주스가 8병 있었는데 1병을 마셨습니다.

  남은 주스는 몇 병입니까?

  식 : ◻ − ◻ = ◻   답 : _____ 병

⑥ 아이들이 6명 있었는데 2명이 떠났습니다.

  남은 아이들은 몇 명입니까?

  식 : ◻ − ◻ = ◻   답 : _____ 명

✎ 빈칸과 밑줄친 곳에 알맞은 수를 써넣으세요.

⑦ 동화책은 4권, 그림책은 3권입니다.

  동화책은 그림책보다 _____ 권 더 많습니다.   **4 − 3 =** ◻

⑧ 닭은 2마리, 원숭이는 7마리입니다.

  원숭이는 닭보다 _____ 마리 더 많습니다.   **7 − 2 =** ◻

✎ 다음 물음에 답하세요.

① 치마가 2벌 있었는데 5벌 더 샀습니다.

　치마는 모두 몇 벌입니까?

＿＿＿＿＿ 벌

② 동화책이 1권 있었는데 7권 더 꽂았습니다.

　동화책은 모두 몇 권입니까?

＿＿＿＿＿ 권

✎ 식을 쓰고 답을 구하세요.

③ 흰색 오리는 1마리, 노란색 오리는 3마리입니다.

　오리는 모두 몇 마리입니까?

식 : ☐ + ☐ = ☐

답 : ＿＿＿＿ 마리

④ 두발자전거는 5대, 세발자전거는 4대입니다.

　자전거는 모두 몇 대입니까?

식 : ☐ + ☐ = ☐

답 : ＿＿＿＿ 대

✎ 빈칸과 밑줄친 곳에 알맞은 수를 써넣으세요.

⑤ 비행기가 3대 있었는데 1대가 날아갔습니다.

남은 비행기는 _____ 대입니다.

3 – 1 = ☐

⑥ 장미가 8송이 있었는데 2송이가 시들었습니다.

남은 장미는 _____ 송이입니다.

8 – 2 = ☐

✎ 알맞은 것에 ○표 하고, 답을 구하세요.

⑦ 우유는 6잔, 주스는 4잔입니다.

어느 것이 몇 잔 더 많습니까?   (우유 , 주스)   _____ 잔

⑧ 책상은 1개, 의자는 8개입니다.

어느 것이 몇 개 더 많습니까?   (책상 , 의자)   _____ 개

✏️ 식을 쓰고 답을 구하세요.

① 주스가 5잔 있었는데 4잔 더 부었습니다.

주스는 모두 몇 잔입니까?

식 : ⬜ + ⬜ = ⬜

답 : _____ 잔

② 친구들이 3명 있었는데 2명 더 왔습니다.

친구들은 모두 몇 명입니까?

식 : ⬜ + ⬜ = ⬜

답 : _____ 명

✏️ 문장을 잘 읽고 알맞은 말에 ○표 하세요.

③ 흰색 달걀은 7개, 노란색 달걀은 2개입니다.

(닭은 , 병아리는 , 달걀은) 모두 9개입니다.

④ 운동화는 4켤레, 구두는 2켤레입니다.

(옷은 , 장갑은 , 신발은) 모두 6켤레입니다.

✏️ 다음 물음에 답하세요.

⑤ 초콜릿이 6개 있었는데 4개를 먹었습니다.

남은 초콜릿은 몇 개입니까?

_____ 개

⑥ 소나무가 8그루 있었는데 8그루를 옮겼습니다.

남은 소나무는 몇 그루입니까?

_____ 그루

✏️ 알맞은 것에 ○표 하고, 식과 답을 쓰세요.

⑦ 우유는 6잔, 주스는 9잔입니다.

어느 것이 더 많습니까?   (우유 , 주스)

몇 잔 더 많습니까?

식 : [   ] − [   ] = [   ]

답 : _____ 잔

✎ 그림을 보고 물음에 답하세요.

① 원숭이가 5마리 있었는데 3마리 더 왔습니다.

　원숭이는 모두 몇 마리입니까?

　　　　　　　　　　　　　　　　＿＿＿＿＿＿＿＿ 마리

② 집이 4채 있었는데 5채 더 지었습니다.

　집은 모두 몇 채입니까?

　　　　　　　　　　　　　　　　＿＿＿＿＿＿＿＿ 채

✎ 식을 쓰고 답을 구하세요.

③ 호박고구마는 2개, 밤고구마는 3개입니다.

　고구마는 모두 몇 개입니까?

　식 : ☐ ＋ ☐ ＝ ☐　　　　　답 : ＿＿＿＿＿＿＿ 개

④ 흰 종이는 4장, 색종이는 2장입니다.

　종이는 모두 몇 장입니까?

　식 : ☐ ＋ ☐ ＝ ☐　　　　　답 : ＿＿＿＿＿＿＿ 장

✎ 빈칸과 밑줄친 곳에 알맞은 수를 써넣으세요.

⑤ 감자가 4개 있었는데 3개를 먹었습니다.

남은 감자는 _____ 개입니다.

$$4 - 3 = \boxed{}$$

⑥ 구두가 7켤레 있었는데 2켤레를 버렸습니다.

남은 구두는 _____ 켤레입니다.

$$7 - 2 = \boxed{}$$

✎ 다음 물음에 답하세요.

⑦ 바지는 8벌, 셔츠는 9벌입니다.

셔츠는 바지보다 몇 벌 더 많습니까? _____ 벌

⑧ 볼펜은 5자루, 색연필은 1자루입니다.

볼펜은 색연필보다 몇 자루 더 많습니까? _____ 자루

Memo

하루 10분 서술형 / 문장제 학습지

씨투엠

수학 독해

정답

S3 더하기와 빼기

5세~7세

Creative to Math
씨투엠

정답

S3 더하기와 빼기
5세~7세

보태는 더하기

P 06 ~ 07

1일 보태기

이미 있는 것에 더하여 많아지게 하는 것을 보태기라고 해.

❀ 이미 있던 것과 더 보태는 것을 각각 세어 보세요.

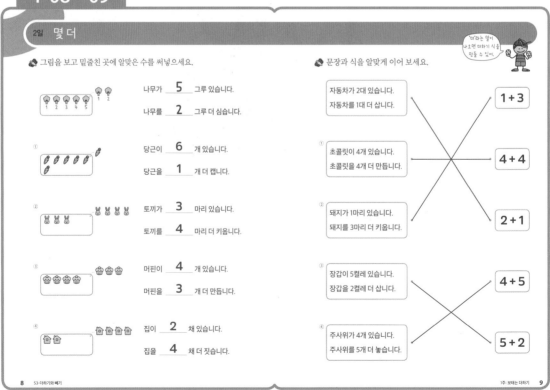

이미 있던 사과는 __4__ 개
더 보태는 사과는 __3__ 개

① 이미 있던 달걀은 __1__ 개
더 보태는 달걀은 __4__ 개

② 이미 있던 연필은 __5__ 자루
더 보태는 연필은 __1__ 자루

③ 이미 있던 자동차는 __3__ 대
더 보태는 자동차는 __3__ 대

④ 이미 있던 고양이는 __6__ 마리
더 보태는 고양이는 __2__ 마리

❀ 이미 있던 것은 ○표, 더 보탠 것은 ●표 하세요.

이미 있던 동화책은 2권
더 보탠 동화책은 4권

① 이미 있던 딸기는 3개
더 보탠 딸기는 1개

② 이미 있던 자전거는 6대
더 보탠 자전거는 3대

③ 이미 있던 바지는 4벌
더 보탠 바지는 2벌

④ 이미 있던 주스는 5병
더 보탠 주스는 2병

P 08 ~ 09

2일 몇 더

'더'라는 말이 나오면 더하기 식을 만들 수 있어.

❀ 그림을 보고 밑줄친 곳에 알맞은 수를 써넣으세요.

나무가 __5__ 그루 있습니다.
나무를 __2__ 그루 더 심습니다.

① 당근이 __6__ 개 있습니다.
당근을 __1__ 개 더 캡니다.

② 토끼가 __3__ 마리 있습니다.
토끼를 __4__ 마리 더 키웁니다.

③ 머핀이 __4__ 개 있습니다.
머핀을 __3__ 개 더 만듭니다.

④ 집이 __2__ 채 있습니다.
집을 __4__ 채 더 짓습니다.

❀ 문장과 식을 알맞게 이어 보세요.

자동차가 2대 있습니다.
자동차를 1대 더 삽니다.

① 초콜릿이 4개 있습니다.
초콜릿을 4개 더 만듭니다.

② 돼지가 1마리 있습니다.
돼지를 3마리 더 키웁니다.

③ 장갑이 5켤레 있습니다.
장갑을 2켤레 더 삽니다.

④ 주사위가 4개 있습니다.
주사위를 5개 더 놓습니다.

1 + 3

4 + 4

2 + 1

4 + 5

5 + 2

P 10 ~ 11

3일 몇 있었는데 몇 더

이미 있던 수는 +의 왼쪽, 나중에 보탠 수는 오른쪽에 써넣자!

🐝 문장을 읽고 알맞게 ○표 또는 ●표 하세요.

살구가 4개 있었는데 3개 더 놓았습니다.

○ : 이미 있던 살구
● : 더 놓은 살구

① 개구리가 2마리 있었는데 4마리 더 왔습니다.

② 동화책이 3권 있었는데 2권 더 꽂았습니다.

③ 나무가 1그루 있었는데 7그루 더 심었습니다.

🐝 문장을 읽고 알맞은 더하기 식을 만들어 보세요.

장미가 2송이 있었는데 3송이 더 피었습니다.

$2 + 3$

이미 있던 장미 / 더 핀 장미

① 자동차가 5대 있었는데 1대 더 왔습니다.

$5 + 1$

② 연필이 3자루 있었는데 4자루 더 샀습니다.

$3 + 4$

③ 참외가 4개 있었는데 2개 더 놓았습니다.

$4 + 2$

④ 참새가 6마리 있었는데 2마리 더 날아왔습니다.

$6 + 2$

P 12 ~ 13

4일 모두 몇입니다

더하기 식은 손가락으로 계산할 수도 있어!

🐝 그림을 그려 더하기 식을 계산해 보세요.

$3 + 5 = 8$

① $4 + 2 = 6$

② $6 + 1 = 7$

③ $2 + 3 = 5$

④ $2 + 7 = 9$

🐝 빈칸과 밑줄친 곳에 알맞은 수를 써넣으세요.

강아지가 2마리 있었는데 2마리 더 왔습니다.

강아지는 모두 __4__ 마리입니다.

$2 + 2 = 4$

① 구슬이 5개 있었는데 1개 더 놓았습니다.

구슬은 모두 __6__ 개입니다.

$5 + 1 = 6$

② 종이학이 3마리 있었는데 2마리 더 접었습니다.

종이학은 모두 __5__ 마리입니다.

$3 + 2 = 5$

③ 비행기가 1대 있었는데 6대 더 날아왔습니다.

비행기는 모두 __7__ 대입니다.

$1 + 6 = 7$

④ 우유가 4잔 있었는데 3잔 더 부었습니다.

우유는 모두 __7__ 잔입니다.

$4 + 3 = 7$

보태는 더하기

5일 모두 몇입니까

더하기 식을 정확하게 쓰는 것이 중요해.

❀ 식을 쓰고 답을 구하세요.

색종이가 1장 있었는데 4장 더 가져왔습니다.
색종이는 모두 몇 장입니까?

식 : $\boxed{1}$ + $\boxed{4}$ = $\boxed{5}$ 답 : $\underline{5}$ 장
①   ②③④

① 구슬이 2개 있었는데 1개 더 놓았습니다.
구슬은 모두 몇 개입니까?

식 : $\boxed{2}$ + $\boxed{1}$ = $\boxed{3}$ 답 : $\underline{3}$ 개

② 해바라기가 5송이 있었는데 2송이 더 피었습니다.
해바라기는 모두 몇 송이입니까?

식 : $\boxed{5}$ + $\boxed{2}$ = $\boxed{7}$ 답 : $\underline{7}$ 송이

③ 볼펜이 6자루 있었는데 3자루 더 샀습니다.
볼펜은 모두 몇 자루입니까?

식 : $\boxed{6}$ + $\boxed{3}$ = $\boxed{9}$ 답 : $\underline{9}$ 자루

❀ 다음 물음에 답하세요.

아이들이 3명 줄을 서 있었는데 5명 더 왔습니다.
아이들은 모두 몇 명입니까? $\underline{8}$ 명
식 : 3 + 5 = 8

① 감자가 4개 있었는데 2개 더 캤습니다.
감자는 모두 몇 개입니까? $\underline{6}$ 개

② 집이 5채 있었는데 3채 더 지었습니다.
집은 모두 몇 채입니까? $\underline{8}$ 채

③ 고양이가 3마리 있었는데 4마리 더 왔습니다.
고양이는 모두 몇 마리입니까? $\underline{7}$ 마리

④ 양말이 2켤레 있었는데 3켤레 더 샀습니다.
양말은 모두 몇 켤레입니까? $\underline{5}$ 켤레

확인학습

✎ 문장을 읽고 알맞게 ○표 또는 ●표 하세요.

① 물이 3잔 있었는데 3잔 더 부었습니다.

② 자동차가 5대 있었는데 2대 더 왔습니다.

✎ 그림을 그려 더하기 식을 계산해 보세요.

③ 4 + 1 = $\boxed{5}$

④ 2 + 6 = $\boxed{8}$

⑤ 7 + 2 = $\boxed{9}$

✎ 빈칸과 밑줄친 곳에 알맞은 수를 써넣으세요.

⑥ 그림책이 6권 있었는데 1권 더 꽂았습니다.

그림책은 모두 $\underline{7}$ 권입니다.   6 + 1 = $\boxed{7}$

⑦ 연필이 4자루 있었는데 2자루 더 샀습니다.

연필은 모두 $\underline{6}$ 자루입니다.   4 + 2 = $\boxed{6}$

✎ 식을 쓰고 답을 구하세요.

⑧ 감자가 3개 있었는데 4개 더 캤습니다.
감자는 모두 몇 개입니까?

식 : $\boxed{3}$ + $\boxed{4}$ = $\boxed{7}$ 답 : $\underline{7}$ 개

⑨ 색종이가 2장 있었는데 6장 더 놓았습니다.
색종이는 모두 몇 장입니까?

식 : $\boxed{2}$ + $\boxed{6}$ = $\boxed{8}$ 답 : $\underline{8}$ 장

P 18

확인학습

✏️ 다음 물음에 답하세요.

⑩ 자전거가 1대 있었는데 2대 더 샀습니다.
   자전거는 모두 몇 대입니까?　　　　　__3__ 대

⑪ 장갑이 4켤레 있었는데 2켤레 더 샀습니다.
   장갑은 모두 몇 켤레입니까?　　　　__6__ 켤레

⑫ 소나무가 5그루 있었는데 3그루 더 심었습니다.
   소나무는 모두 몇 그루입니까?　　　__8__ 그루

⑬ 초콜릿이 3개 있었는데 6개 더 만들었습니다.
   초콜릿은 모두 몇 개입니까?　　　　__9__ 개

⑭ 음료수가 2병 있었는데 2병 더 놓았습니다.
   음료수는 모두 몇 병입니까?　　　　__4__ 병

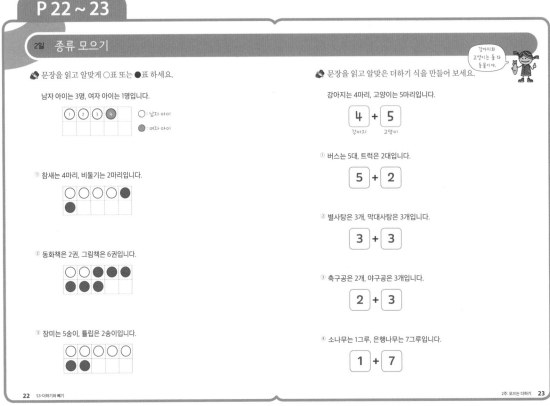

P 24 ~ 25

3일 무엇이 모두

문제에 나온 것이 공통으로 묶일 수 있는 이름을 생각해 봐.

🐞 관계있는 문장끼리 알맞게 이어 보세요.

빨간색 자동차는 5대,
파란색 자동차는 2대입니다.

흰색 바둑돌은 4개,
검은색 바둑돌은 3개입니다.

흰색 달걀은 6개,
노란색 달걀은 1개입니다.

빨간색 장미는 2송이,
노란색 장미는 5송이입니다.

분홍색 치마는 3벌,
파란색 치마는 4벌입니다.

바둑돌은 모두 7개입니다.

자동차는 모두 7대입니다.

치마는 모두 7벌입니다.

장미는 모두 7송이입니다.

달걀은 모두 7개입니다.

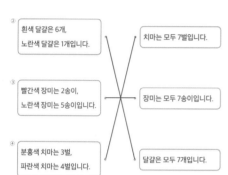

🐝 문장을 잘 읽고 알맞은 말에 ○표 하세요.

두발자전거는 2대, 세발자전거는 1대입니다.

(발은, ⟨자전거는⟩, 자동차는) 모두 3대입니다.

① 강아지는 5마리, 햄스터는 2마리입니다.

(강아지는, 햄스터는, ⟨동물은⟩) 모두 7마리입니다.

② 티셔츠는 3벌, 바지는 5벌입니다.

(⟨옷은⟩, 티셔츠는, 치마는) 모두 8벌입니다.

③ 해바라기는 4송이, 튤립은 2송이입니다.

(장미는, ⟨꽃은⟩, 나무는) 모두 6송이입니다.

④ 사과는 5개, 배는 4개입니다.

(배는, 자동차는, ⟨과일은⟩) 모두 9개입니다.

P 26 ~ 27

4일 모두 몇입니다

문제에 나오는 물건을 하나씩 상상해 봐.

🖐 그림을 보고 더하기 식을 계산해 보세요.

$4 + 2 = 6$

① $1 + 5 = 6$

② $3 + 1 = 4$

③ $5 + 3 = 8$

④ $3 + 4 = 7$

🖐 빈칸과 밑줄 친 곳에 알맞은 수를 써넣으세요.

빨간색 크레파스는 3개, 보라색 크레파스는 2개입니다.

크레파스는 모두 __5__ 개입니다.

$3 + 2 = 5$

① 버스는 4대, 택시는 4대입니다.

자동차는 모두 __8__ 대입니다.

$4 + 4 = 8$

② 흰색 주사위는 6개, 검은색 주사위는 1개입니다.

주사위는 모두 __7__ 개입니다.

$6 + 1 = 7$

③ 돼지는 2마리, 소는 7마리입니다.

동물은 모두 __9__ 마리입니다.

$2 + 7 = 9$

④ 주스는 2잔, 우유는 2잔입니다.

음료수는 모두 __4__ 잔입니다.

$2 + 2 = 4$

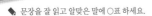

P 28 ~ 29

5일 모두 몇입니까

> 더하기 식에서 두 수를 바꾸어 계산해도 답은 똑같아.

🌸 식을 쓰고 답을 구하세요.

초록색 구슬은 3개, 주황색 구슬은 5개입니다.
구슬은 모두 몇 개입니까?

식 : 3 + 5 = 8   답 : 8 개
①②③ ④⑤⑥⑦⑧

① 여자 아이는 2명, 남자 아이는 5명입니다.
아이들은 모두 몇 명입니까?

식 : 2 + 5 = 7   답 : 7 명

② 빨강 색연필은 1자루, 파랑 색연필은 4자루입니다.
색연필은 모두 몇 자루입니까?

식 : 1 + 4 = 5   답 : 5 자루

③ 십 원 동전은 5개, 백 원 동전은 1개입니다.
동전은 모두 몇 개입니까?

식 : 5 + 1 = 6   답 : 6 개

🌸 다음 물음에 답하세요.

감자는 8개, 당근은 1개입니다.
채소는 모두 몇 개입니까?   9 개

식 : 8 + 1 = 9

① 흰색 초콜릿은 4개, 검은색 초콜릿은 2개입니다.
초콜릿은 모두 몇 개입니까?   6 개

② 기린은 3마리, 코끼리는 2마리입니다.
동물은 모두 몇 마리입니까?   5 마리

③ 그림책은 2권, 동화책은 6권입니다.
책은 모두 몇 권입니까?   8 권

④ 빨간색 양말은 1켤레, 보라색 양말은 3켤레입니다.
양말은 모두 몇 켤레입니까?   4 켤레

P 30 ~ 31

확인학습

✏️ 문장을 잘 읽고 알맞은 말에 ○표 하세요.

① 감나무는 2그루, 은행나무는 1그루입니다.
(감은 , (나무는) , 과일은) 모두 3그루입니다.

② 안경을 낀 아이는 3명, 안경을 끼지 않은 아이는 5명입니다.
((아이들은) , 안경은 , 동물은) 모두 8명입니다.

✏️ 그림을 보고 더하기 식을 계산해 보세요.

③ 〇〇〇〇 〇〇〇   4 + 3 = 7

④   1 + 4 = 5

⑤   2 + 6 = 8

✏️ 빈칸과 밑줄친 곳에 알맞은 수를 써넣으세요.

⑥ 빨간색 별은 5개, 파란색 별은 2개입니다.
별은 모두 7 개입니다.   5 + 2 = 7

⑦ 까치는 3마리, 까마귀는 5마리입니다.
새는 모두 8 마리입니다.   3 + 5 = 8

✏️ 식을 쓰고 답을 구하세요.

⑧ 만화책은 7권, 소설책은 1권입니다.
책은 모두 몇 권입니까?

식 : 7 + 1 = 8   답 : 8 권

⑨ 세모 모양 단추는 3개, 네모 모양 단추는 3개입니다.
단추는 모두 몇 개입니까?

식 : 3 + 3 = 6   답 : 6 개

P 32

확인학습

✎ 다음 물음에 답하세요.

⑩ 백 원 동전은 5개, 오백 원 동전은 1개입니다.
동전은 모두 몇 개입니까? __6__ 개

⑪ 갈색 고양이는 3마리, 얼룩 고양이는 5마리입니다.
고양이는 모두 몇 마리입니까? __8__ 마리

⑫ 택시는 1대, 버스는 3대입니다.
자동차는 모두 몇 대입니까? __4__ 대

⑬ 탄산 음료는 2병, 주스는 1병입니다.
음료수는 모두 몇 병입니까? __3__ 병

⑭ 빨간색 볼펜은 7자루, 검은색 볼펜은 2자루입니다.
볼펜은 모두 몇 자루입니까? __9__ 자루

덜어 내는 빼기

P 34 ~ 35

1일 덜어 내기

> 얼마를 때어 줄이거나 적게 하는 것을 '덜다'라고 해.

✿ 이미 있던 것과 덜어 내는 것을 각각 세어 보세요.

이미 있던 비행기는 __5__ 대

덜어 내는 비행기는 __2__ 대

① 이미 있던 딸기는 __7__ 개

덜어 내는 딸기는 __3__ 개

② 이미 있던 우산은 __6__ 개

덜어 내는 우산은 __1__ 개

③ 이미 있던 솜사탕은 __8__ 개

덜어 내는 솜사탕은 __4__ 개

④ 이미 있던 고양이는 __4__ 마리

덜어 내는 고양이는 __3__ 마리

✿ 이미 있던 것은 ○표, 덜어 낸 것은 ×표 하세요.

이미 있던 연필은 7개
덜어 낸 연필은 4개

① 이미 있던 나무는 4그루
덜어 낸 나무는 2그루

② 이미 있던 자동차는 9대
덜어 낸 자동차는 4대

③ 이미 있던 우유는 3잔
덜어 낸 우유는 2잔

④ 이미 있던 색종이는 8장
덜어 낸 색종이는 5장

P 36 ~ 37

2일 줄어드는 것

> 떠나다, 먹다 등 줄어드는 말이 나오면 빼기 식을 써야 해.

✿ 그림을 보고 밑줄친 곳에 알맞은 수를 써넣으세요.

지우개가 __7__ 개 있습니다.

지우개를 __3__ 개 줍니다.

① 원숭이가 __3__ 마리 있습니다.

원숭이가 __1__ 마리 떠납니다.

② 풍선이 __5__ 개 있습니다.

풍선이 __4__ 개 날아갑니다.

③ 초콜릿이 __9__ 개 있습니다.

초콜릿을 __3__ 개 먹습니다.

④ 버스가 __6__ 대 있습니다.

버스가 __2__ 대 떠납니다.

✿ 문장과 식을 알맞게 이어 보세요.

아이들이 4명 있습니다.
아이가 1명 떠납니다. ———— 4 - 1

① 참새가 7마리 있습니다.
참새가 2마리 날아갑니다. 6 - 5

② 솜사탕이 6개 있습니다.
솜사탕을 5개 먹습니다. 8 - 6

③ 동전이 9개 있습니다.
동전을 4개 줍니다. 7 - 2

④ 바지가 8벌 있습니다.
바지를 6벌 버립니다. 9 - 4

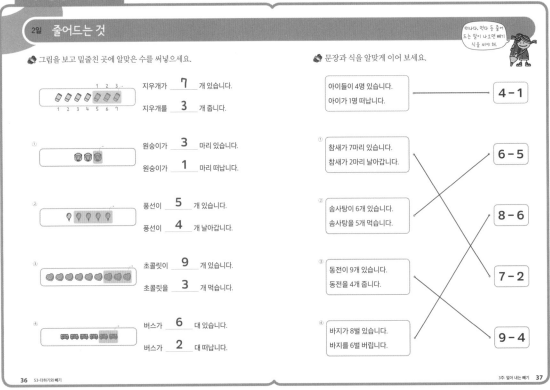

P 38 ~ 39

3일 몇 있었는데 몇 줄고

🐝 문장을 읽고 알맞게 ○표 또는 ×표 하세요.

딸기가 6개 있었는데 1개를 먹었습니다.

○ : 이미 있던 딸기
× : 먹은 딸기

① 버스가 3대 있었는데 2대가 떠났습니다.

○ × ×

② 구슬이 8개 있었는데 4개를 잃어버렸습니다.

○ ○ ○ ○ ×
× × × ×

③ 까치가 5마리 있었는데 3마리가 날아갔습니다.

🐝 문장을 읽고 알맞은 빼기 식을 만들어 보세요.

아이들이 8명 있었는데 4명이 떠났습니다.

8 - 4

이미 있던 아이 / 떠난 아이

① 지우개가 5개 있었는데 2개를 다 썼습니다.

5 - 2

② 초콜릿이 4개 있었는데 3개를 먹었습니다.

4 - 3

③ 나비가 9마리 있었는데 7마리가 날아갔습니다.

9 - 7

④ 주스가 7잔 있었는데 4잔을 마셨습니다.

7 - 4

P 40 ~ 41

4일 남은 것은 몇입니다

🦫 그림을 그려 빼기 식을 계산해 보세요.

9 - 5 = 4

① 4 - 1 = 3
② 3 - 3 = 0
③ 7 - 2 = 5
④ 6 - 4 = 2

🦫 빈칸과 밑줄친 곳에 알맞은 수를 써넣으세요.

얼음이 5개 있었는데 2개가 녹았습니다.

남은 얼음은 __3__ 개입니다.

 5 - 2 = 3

① 풍선이 4개 있었는데 2개가 날아갔습니다.

남은 풍선은 __2__ 개입니다.

4 - 2 = 2

② 솜사탕이 8개 있었는데 3개를 먹었습니다.

남은 솜사탕은 __5__ 개입니다.

8 - 3 = 5

③ 트럭이 6대 있었는데 3대가 떠났습니다.

남은 트럭은 __3__ 대입니다.

6 - 3 = 3

④ 원숭이가 9마리 있었는데 1마리가 떠났습니다.

남은 원숭이는 __8__ 마리입니다.

9 - 1 = 8

덜어 내는 빼기

3주

P 42 ~ 43

5일 남은 것은 몇입니까

줄어들고 남은
수를 구할 때는 빼기
식을 써야 해.

❀ 식을 쓰고 답을 구하세요.

장갑이 6켤레 있었는데 3켤레를 버렸습니다.
남은 장갑은 몇 켤레입니까?

식 : | 6 | − | 3 | = | 3 |

답 : __3__ 켤레

① 해바라기가 4송이가 있었는데 2송이가 시들었습니다.
남은 해바라기는 몇 송이입니까?

식 : | 4 | − | 2 | = | 2 |

답 : __2__ 송이

② 버스가 9대 있었는데 6대가 떠났습니다.
남은 버스는 몇 대입니까?

식 : | 9 | − | 6 | = | 3 |

답 : __3__ 대

③ 연필이 8자루 있었는데 1자루를 잃어버렸습니다.
남은 연필은 몇 자루입니까?

식 : | 8 | − | 1 | = | 7 |

답 : __7__ 자루

❀ 다음 물음에 답하세요.

색종이가 9장 있었는데 7장을 썼습니다.
남은 색종이는 몇 장입니까?

__2__ 장

식 : 9 − 7 = 2

① 강아지가 5마리 있었는데 5마리가 떠났습니다.
남은 강아지는 몇 마리입니까?

__0__ 마리

② 공책이 7권 있었는데 3권을 다 썼습니다.
남은 공책은 몇 권입니까?

__4__ 권

③ 은행나무가 3그루 있었는데 2그루를 옮겼습니다.
남은 은행나무는 몇 그루입니까?

__1__ 그루

④ 햄버거가 6개 있었는데 1개를 먹었습니다.
남은 햄버거는 몇 개입니까?

__5__ 개

P 44 ~ 45

확인학습

✎ 문장을 읽고 알맞게 ○표 또는 ✕표 하세요.

① 사탕이 7개 있었는데 3개를 주었습니다.

② 우유가 4잔 있었는데 4잔을 마셨습니다.

✎ 그림을 그려 빼기 식을 계산해 보세요.

③ 8 − 6 = | 2 |

④ 5 − 4 = | 1 |

⑤ 9 − 3 = | 6 |

✎ 빈칸과 밑줄친 곳에 알맞은 수를 써넣으세요.

⑥ 음료수가 7병 있었는데 3병을 마셨습니다.

남은 음료수는 __4__ 병입니다.

7 − 3 = | 4 |

⑦ 동전이 5개 있었는데 4개를 잃어버렸습니다.

남은 동전은 __1__ 개입니다.

5 − 4 = | 1 |

✎ 식을 쓰고 답을 구하세요.

⑧ 아이스크림이 7개 있었는데 5개를 먹었습니다.
남은 아이스크림은 몇 개입니까?

식 : | 7 | − | 5 | = | 2 |

답 : __2__ 개

⑨ 참새가 5마리 있었는데 2마리가 날아갔습니다.
남은 참새는 몇 마리입니까?

식 : | 5 | − | 2 | = | 3 |

답 : __3__ 마리

P 46

확인학습

◆ 다음 물음에 답하세요.

⑩ 별사탕이 2개 있었는데 1개를 먹었습니다.
남은 별사탕은 몇 개입니까?　　　　　__1__ 개

⑪ 야구공이 6개 있었는데 2개를 잃어버렸습니다.
남은 야구공은 몇 개입니까?　　　　　__4__ 개

⑫ 닭이 3마리 있었는데 1마리가 떠났습니다.
남은 닭은 몇 마리입니까?　　　　　__2__ 마리

⑬ 머핀이 8개 있었는데 5개를 팔았습니다.
남은 머핀은 몇 개입니까?　　　　　__3__ 개

⑭ 우유가 4잔 있었는데 3잔을 마셨습니다.
남은 우유는 몇 잔입니까?　　　　　__1__ 잔

P 48 ~ 49

1일 비교하기

❀ 그림을 보고 밑줄친 곳에 알맞은 수를 써넣으세요.

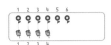

해바라기는 __6__ 송이입니다.

장미는 __4__ 송이입니다.

① 셔츠는 __3__ 벌입니다.

바지는 __5__ 벌입니다.

② 복숭아는 __7__ 개입니다.

사과는 __8__ 개입니다.

③ 고양이는 __5__ 마리입니다.

강아지는 __4__ 마리입니다.

④ 자동차는 __7__ 대입니다.

자전거는 __9__ 대입니다.

❀ 문장을 잘 읽고 알맞은 말에 ○표 하세요.

사과는 5개, 감은 3개입니다.

많은 것은 ((사과) 감), 적은 것은 (사과 (감))입니다.

사과 ○○○○○
감 ●●●

① 책은 4권, 공책은 8권입니다.

많은 것은 (책 (공책)), 적은 것은 ((책) 공책)입니다.

② 소나무는 6그루, 감나무는 7그루입니다.

많은 것은 (소나무 (감나무)), 적은 것은 ((소나무) 감나무)입니다.

③ 사자는 9마리, 호랑이는 6마리입니다.

많은 것은 ((사자) 호랑이), 적은 것은 (사자 (호랑이))입니다.

④ 연필은 5자루, 색연필은 2자루입니다.

많은 것은 ((연필) 색연필), 적은 것은 (연필 (색연필))입니다.

P 50 ~ 51

2일 차와 빼기

✎ 알맞게 ○표 또는 ●표 하고, 같은 수만큼 이어 보세요.

택시는 4대, 트럭은 7대입니다.

① 사탕은 5개, 초콜릿은 6개입니다.

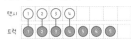

② 장미는 8송이, 튤립은 5송이입니다.

③ 여자 아이는 7명, 남자 아이는 8명입니다.

✎ 문장을 읽고 알맞은 빼기 식을 만들어 보세요.

강아지는 4마리, 고양이는 6마리입니다.

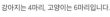

$$6 - 4$$
고양이 강아지

① 흰 종이는 6장, 색종이는 3장입니다.

$$6 - 3$$

② 소나무는 5그루, 향나무는 7그루입니다.

$$7 - 5$$

③ 참외는 3개, 자두는 4개입니다.

$$4 - 3$$

④ 연필은 8자루, 볼펜은 4자루입니다.

$$8 - 4$$

P 52 ~ 53

3일 몇 더 많습니다

같은 수만큼
연결하고 남는 것이
두 수의 차가 되지.

🐝 그림을 보고 빼기 식을 계산해 보세요.

$5 - 3 = \boxed{2}$

① $6 - 2 = \boxed{4}$

② $9 - 6 = \boxed{3}$

③ $3 - 2 = \boxed{1}$

④ $8 - 3 = \boxed{5}$

🐝 빈칸과 밑줄친 곳에 알맞은 수를 써넣으세요.

구두는 4켤레, 운동화는 2켤레입니다.

구두는 운동화보다 __2__ 켤레 더 많습니다.　$4 - 2 = \boxed{2}$

① 우유는 4잔, 주스는 7잔입니다.

주스는 우유보다 __3__ 잔 더 많습니다.　$7 - 4 = \boxed{3}$

② 달걀은 5개, 오리알은 1개입니다.

달걀은 오리알보다 __4__ 개 더 많습니다.　$5 - 1 = \boxed{4}$

③ 까마귀는 1마리, 까치는 3마리입니다.

까치는 까마귀보다 __2__ 마리 더 많습니다.　$3 - 1 = \boxed{2}$

④ 튤립은 8송이, 장미는 2송이입니다.

튤립은 장미보다 __6__ 송이 더 많습니다.　$8 - 2 = \boxed{6}$

P 54 ~ 55

4일 몇 더 많습니까

차를 구하는 빼기 식
을 만들 때는 많은 것을
먼저 써야해.

🐚 식을 쓰고 답을 구하세요.

양파는 2개, 당근은 7개입니다.

당근은 양파보다 몇 개 더 많습니까?

식 : $\boxed{7} - \boxed{2} = \boxed{5}$　　답 : __5__ 개

① 남자 아이는 5명, 여자 아이는 3명입니다.

남자 아이는 여자 아이보다 몇 명 더 많습니까?

식 : $\boxed{5} - \boxed{3} = \boxed{2}$　　답 : __2__ 명

② 초콜릿은 1개, 사탕은 4개입니다.

사탕은 초콜릿보다 몇 개 더 많습니까?

식 : $\boxed{4} - \boxed{1} = \boxed{3}$　　답 : __3__ 개

③ 은행나무는 8그루, 미루나무는 4그루입니다.

은행나무는 미루나무보다 몇 그루 더 많습니까?

식 : $\boxed{8} - \boxed{4} = \boxed{4}$　　답 : __4__ 그루

🐚 다음 물음에 답하세요.

십 원 동전은 2개, 백 원 동전은 5개입니다.

백 원 동전은 십 원 동전보다 몇 개 더 많습니까?　　__3__ 개

식 : 5 - 2 = 3

① 튤립은 3송이, 해바라기는 2송이입니다.

튤립은 해바라기보다 몇 송이 더 많습니까?　　__1__ 송이

② 흰 종이는 5장, 색종이는 9장입니다.

색종이는 흰 종이보다 몇 장 더 많습니까?　　__4__ 장

③ 버스는 2대, 택시는 4대입니다.

택시는 버스보다 몇 대 더 많습니까?　　__2__ 대

④ 운동화는 8켤레, 구두는 5켤레입니다.

운동화는 구두보다 몇 켤레 더 많습니까?　　__3__ 켤레

차이나는 빼기

P 56 ~ 57

5일 무엇이 몇 더 많습니까

어느 것이 많은지 먼저 따진 후에 몇 더 많은지 구해야 해!

❀ 알맞은 것에 ○표 하고, 식과 답을 쓰세요.

연필은 5자루, 색연필은 8자루입니다.

어느 것이 더 많습니까? (연필, (색연필))

몇 자루 더 많습니까?

식 : $8 - 5 = 3$ 답 : __3__ 자루

① 토끼는 3마리, 거북이는 7마리입니다.

어느 것이 더 많습니까? (토끼, (거북이))

몇 마리 더 많습니까?

식 : $7 - 3 = 4$ 답 : __4__ 마리

② 사과가 5개, 배가 4개입니다.

어느 것이 더 많습니까? ((사과,) 배)

몇 개 더 많습니까?

식 : $5 - 4 = 1$ 답 : __1__ 개

❀ 알맞은 것에 ○표 하고, 답을 구하세요.

낙타는 3마리, 타조는 2마리입니다.

어느 것이 몇 마리 더 많습니까? ((낙타,) 타조) __1__ 마리

식 : 3 - 2 = 1

① 동화책은 5권, 그림책은 2권입니다.

어느 것이 몇 권 더 많습니까? ((동화책,) 그림책) __3__ 권

② 바지는 1벌, 치마는 6벌입니다.

어느 것이 몇 벌 더 많습니까? (바지, (치마)) __5__ 벌

③ 토마토는 7개, 사과는 9개입니다.

어느 것이 몇 개 더 많습니까? (토마토, (사과)) __2__ 개

④ 감나무가 4그루, 전나무가 2그루입니다.

어느 것이 몇 그루 더 많습니까? ((감나무,) 전나무) __2__ 그루

P 58 ~ 59

확인학습

✎ 문장을 잘 읽고 알맞은 말에 ○표 하세요.

① 잠자리는 5마리, 나비는 4마리입니다.

많은 것은 ((잠자리), 나비), 적은 것은 (잠자리, (나비)) 입니다.

② 버스는 7대, 트럭은 9대입니다.

많은 것은 (버스, (트럭)), 적은 것은 ((버스,) 트럭) 입니다.

✎ 그림을 보고 빼기 식을 계산해 보세요.

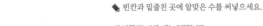

③ $4 - 3 = 1$

④ $6 - 4 = 2$

⑤ $7 - 3 = 4$

✎ 빈칸과 밑줄친 곳에 알맞은 수를 써넣으세요.

⑥ 비행기는 3대, 배는 6대입니다.

배는 비행기보다 __3__ 대 더 많습니다. $6 - 3 = 3$

⑦ 어른은 7명, 아이는 9명입니다.

아이는 어른보다 __2__ 명 더 많습니다. $9 - 7 = 2$

✎ 식을 쓰고 답을 구하세요.

⑧ 자전거는 2대, 오토바이는 1대입니다.

자전거는 오토바이보다 몇 대 더 많습니까?

식 : $2 - 1 = 1$ 답 : __1__ 대

⑨ 책은 2권, 공책은 6권입니다.

공책은 책보다 몇 권 더 많습니까?

식 : $6 - 2 = 4$ 답 : __4__ 권

P 60

확인학습

✎ 다음 물음에 답하세요.

⑩ 어른은 6명, 아이는 3명입니다.
어른은 아이보다 몇 명 더 많습니까?　　　**3** 명

⑪ 사과는 2개, 복숭아는 7개입니다.
복숭아는 사과보다 몇 개 더 많습니까?　　　**5** 개

✎ 알맞은 것에 ○표 하고, 답을 구하세요.

⑫ 지우개는 4개, 가위는 1개입니다.
어느 것이 몇 개 더 많습니까?　　((지우개), 가위)　**3** 개

⑬ 장미는 5송이, 민들레는 7송이입니다.
어느 것이 몇 송이 더 많습니까?　　(장미, (민들레))　**2** 송이

P62 ~ 63

월 일
제한 시간 10분
맞은 개수 / 8개

✎ 빈칸과 밑줄친 곳에 알맞은 수를 써넣으세요.

① 강아지가 2마리 있었는데 5마리 더 왔습니다.

강아지는 모두 __7__ 마리입니다. $2 + 5 = \boxed{7}$

② 티셔츠가 3벌 있었는데 1벌 더 샀습니다.

티셔츠는 모두 __4__ 벌입니다. $3 + 1 = \boxed{4}$

✎ 문장을 잘 읽고 알맞은 말에 ○표 하세요.

③ 흰색 바둑돌은 3개, 검은색 바둑돌은 5개입니다.

(강아지는, (바둑돌은), 흰색 바둑돌은) 모두 8개입니다.

④ 복숭아는 6개, 자두는 1개입니다.

((과일은), 나무는, 꽃은) 모두 7개입니다.

✎ 다음 물음에 답하세요.

⑤ 주스가 9병 있었는데 5병을 팔았습니다.

남은 주스는 몇 병입니까? __4__ 병

⑥ 자동차가 7대 있었는데 2대가 떠났습니다.

남은 자동차는 몇 대입니까? __5__ 대

✎ 식을 쓰고 답을 구하세요.

⑦ 사과 주스는 5병, 딸기 주스는 7병 있습니다.

딸기 주스는 사과 주스보다 몇 병 더 많습니까?

식 : $\boxed{7} - \boxed{5} = \boxed{2}$ 답 : __2__ 병

⑧ 햄스터는 5마리, 고양이는 1마리입니다.

햄스터는 고양이보다 몇 마리 더 많습니까?

식 : $\boxed{5} - \boxed{1} = \boxed{4}$ 답 : __4__ 마리

P 64 ~ 65

월 일
제한 시간 10분
맞은 개수 / 8개

✎ 식을 쓰고 답을 구하세요.

① 튤립이 6송이 있었는데 1송이 더 피었습니다.

튤립은 모두 몇 송이입니까?

식 : $\boxed{6} + \boxed{1} = \boxed{7}$ 답 : __7__ 송이

② 고양이가 4마리 있었는데 4마리 더 왔습니다.

고양이는 모두 몇 마리입니까?

식 : $\boxed{4} + \boxed{4} = \boxed{8}$ 답 : __8__ 마리

✎ 다음 물음에 답하세요.

③ 잠자리는 1마리, 나비는 1마리입니다.

곤충은 모두 몇 마리입니까? __2__ 마리

④ 빨간색 장미는 4송이, 흰색 장미는 3송이입니다.

장미는 모두 몇 송이입니까? __7__ 송이

✎ 식을 쓰고 답을 구하세요.

⑤ 주스가 8병 있었는데 1병을 마셨습니다.

남은 주스는 몇 병입니까?

식 : $\boxed{8} - \boxed{1} = \boxed{7}$ 답 : __7__ 병

⑥ 아이들이 6명 있었는데 2명이 떠났습니다.

남은 아이들은 몇 명입니까?

식 : $\boxed{6} - \boxed{2} = \boxed{4}$ 답 : __4__ 명

✎ 빈칸과 밑줄친 곳에 알맞은 수를 써넣으세요.

⑦ 동화책은 4권, 그림책은 3권입니다.

동화책은 그림책보다 __1__ 권 더 많습니다. $4 - 3 = \boxed{1}$

⑧ 닭은 2마리, 원숭이는 7마리입니다.

원숭이는 닭보다 __5__ 마리 더 많습니다. $7 - 2 = \boxed{5}$

P 66 ~ 67

✎ 다음 물음에 답하세요.

① 치마가 2벌 있었는데 5벌 더 샀습니다.
치마는 모두 몇 벌입니까?   __7__ 벌

② 동화책이 1권 있었는데 7권 더 꽂았습니다.
동화책은 모두 몇 권입니까?   __8__ 권

✎ 식을 쓰고 답을 구하세요.

③ 흰색 오리는 1마리, 노란색 오리는 3마리입니다.
오리는 모두 몇 마리입니까?
식 : $\boxed{1} + \boxed{3} = \boxed{4}$ 답 : __4__ 마리

④ 두발자전거는 5대, 세발자전거는 4대입니다.
자전거는 모두 몇 대입니까?
식 : $\boxed{5} + \boxed{4} = \boxed{9}$ 답 : __9__ 대

✎ 빈칸과 밑줄친 곳에 알맞은 수를 써넣으세요.

⑤ 비행기가 3대 있었는데 1대가 날아갔습니다.
남은 비행기는 __2__ 대입니다. $3 - 1 = \boxed{2}$

⑥ 장미가 8송이 있었는데 2송이가 시들었습니다.
남은 장미는 __6__ 송이입니다. $8 - 2 = \boxed{6}$

✎ 알맞은 것에 ○표 하고, 답을 구하세요.

⑦ 우유는 6잔, 주스는 4잔입니다.
어느 것이 몇 잔 더 많습니까?   (우유), 주스)   __2__ 잔

⑧ 책상은 1개, 의자는 8개입니다.
어느 것이 몇 개 더 많습니까?   (책상, 의자)   __7__ 개

P 68 ~ 69

✎ 식을 쓰고 답을 구하세요.

① 주스가 5잔 있었는데 4잔 더 부었습니다.
주스는 모두 몇 잔입니까?
식 : $\boxed{5} + \boxed{4} = \boxed{9}$ 답 : __9__ 잔

② 친구들이 3명 있었는데 2명 더 왔습니다.
친구들은 모두 몇 명입니까?
식 : $\boxed{3} + \boxed{2} = \boxed{5}$ 답 : __5__ 명

✎ 문장을 잘 읽고 알맞은 말에 ○표 하세요.

③ 흰색 달걀은 7개, 노란색 달걀은 2개입니다.
(닭은, 병아리는, 달걀은) 모두 9개입니다.

④ 운동화는 4켤레, 구두는 2켤레입니다.
(옷은, 장갑은, 신발은) 모두 6켤레입니다.

✎ 다음 물음에 답하세요.

③ 초콜릿이 6개 있었는데 4개를 먹었습니다.
남은 초콜릿은 몇 개입니까?   __2__ 개

④ 소나무가 8그루 있었는데 8그루를 옮겼습니다.
남은 소나무는 몇 그루입니까?   __0__ 그루

✎ 알맞은 것에 ○표 하고, 식과 답을 쓰세요.

⑦ 우유는 6잔, 주스는 9잔입니다.
어느 것이 더 많습니까?   (우유, 주스)
몇 잔 더 많습니까?
식 : $\boxed{9} - \boxed{6} = \boxed{3}$ 답 : __3__ 잔

P 70 ~ 71

월 일
제한 시간 10분
맞은 개수 / 8개

✎ 그림을 보고 물음에 답하세요.

① 원숭이가 5마리 있었는데 3마리 더 왔습니다.
원숭이는 모두 몇 마리입니까?　　　　__8__ 마리

② 집이 4채 있었는데 5채 더 지었습니다.
집은 모두 몇 채입니까?　　　　__9__ 채

✎ 식을 쓰고 답을 구하세요.

③ 호박고구마는 2개, 밤고구마는 3개입니다.
고구마는 모두 몇 개입니까?

식 : $\boxed{2} + \boxed{3} = \boxed{5}$　　　　답 : __5__ 개

④ 흰 종이는 4장, 색종이는 2장입니다.
종이는 모두 몇 장입니까?

식 : $\boxed{4} + \boxed{2} = \boxed{6}$　　　　답 : __6__ 장

✎ 빈칸과 밑줄친 곳에 알맞은 수를 써넣으세요.

③ 감자가 4개 있었는데 3개를 먹었습니다.
남은 감자는 __1__ 개입니다.　　　$4 - 3 = \boxed{1}$

⑥ 구두가 7켤레 있었는데 2켤레를 버렸습니다.
남은 구두는 __5__ 켤레입니다.　　　$7 - 2 = \boxed{5}$

✎ 다음 물음에 답하세요.

⑦ 바지는 8벌, 셔츠는 9벌입니다.
셔츠는 바지보다 몇 벌 더 많습니까?　　　__1__ 벌

⑧ 볼펜은 5자루, 색연필은 1자루입니다.
볼펜은 색연필보다 몇 자루 더 많습니까?　　　__4__ 자루

> "
> # The essence of mathematics
> # is its freedom.
> "

"수학의 본질은 그 자유로움에 있다."

Georg Cantor, 게오르크 칸토어

공간감각을 위한 하루10분 도형학습지

플라토 는 체계적이고 효과적으로 도형을 학습합니다.

- 매일 부담없는 2페이지 10분 학습
- 매주 5일간 유형 연습 (5일차는 중요 유형 확인 학습)
- 권당 진단평가 5회

유초등 교과 과정의 핵심적인 도형원리를 각 학년에 맞게 4개의 학습영역으로
나누어 과학적이고 체계적으로 설계된 새로운 패러다임의 도형 전문 학습지입니다.

플라토 S시리즈 대상:6세

	S1. 평면규칙	S2. 도형조작	S3. 입체설계	S4. 공간지각
1주차	점과 선	길이 비교	입체 모양 관찰	잘라내기
2주차	똑같은 모양	모양 붙이기	블록 모양 만들기	종이 접기
3주차	도형 세기	모양 자르기	쌓기나무	투명 종이 겹치기
4주차	도형 규칙	거울과 위치	입체도형 세기	모양 겹치기

플라토 P시리즈 대상:7세

	P1. 평면규칙	P2. 도형조작	P3. 입체설계	P4. 공간지각
1주차	도형 그리기	같은 길이	입체도형 관찰	구멍난 종이
2주차	같은 도형	세모 붙이기	블록 모양 만들기	종이 접기
3주차	도형 세기	네모 붙이기	쌓기나무	여러 방향 관찰
4주차	도형 규칙	거울에 비친 도형	층층 쌓기	도형 겹치기

플라토 A시리즈 대상:초1

	A1. 평면규칙	A2. 도형조작	A3. 입체설계	A4. 공간지각
1주차	점과 선의 수	넓이 비교	입체도형 연구	구멍난 종이
2주차	여러 가지 도형	패턴블록	여러 가지 입체	접고 잘라내기
3주차	도형 세기	도형 돌리기	쌓기나무 세기	여러 방향 관찰
4주차	도형 규칙	모양 만들기	입체도형 추리	겹친 실루엣

플라토 B시리즈 대상:초2

	B1. 평면규칙	B2. 도형조작	B3. 입체설계	B4. 공간지각
1주차	원과 다각형	길이 재기	입체도형 연구	색종이 공예
2주차	도형 그리기	칠교판	본뜬 모양	여러 방향 쌓기
3주차	도형 세기	길이의 합과 차	쌓기나무 발자국	투명 종이 겹치기
4주차	점판 그리기	모양 만들기	쌓기나무 세기	그림자 추리

플라토 C시리즈 대상:초3

	C1. 평면규칙	C2. 도형조작	C3. 입체설계	C4. 공간지각
1주차	직선과 각	밀기와 뒤집기	쌓기나무 그리기	색종이 공예
2주차	직각이 있는 도형	돌리기	쌓기나무 세기	구멍난 종이
3주차	도형 그리기	도형의 이동	입체의 부피	여러 방향 관찰
4주차	패턴 무늬	원과 길이	큐브 블록	색종이 겹치기

플라토 D시리즈 대상:초4

	D1. 평면규칙	D2. 도형조작	D3. 입체설계	D4. 공간지각
1주차	각도기와 각	도형의 각	입체 찍기	점의 이동
2주차	삼각형	삼각형의 성질	입체도형 포장	도형과 점의 이동
3주차	수직과 평행	사각형의 성질	쌓기나무 포장	같은 도형, 다른 도형
4주차	다각형	선 긋기와 각	포장 종이 잇기	정다각형을 붙인 도형

플라토 E시리즈 대상:초5

	E1. 평면규칙	E2. 도형조작	E3. 입체설계	E4. 공간지각
1주차	다각형의 둘레	직사각형의 넓이	직육면체	점의 이동
2주차	합동	평행사변형, 삼각형의 넓이	직육면체의 전개도	도형과 점의 이동
3주차	선대칭	사다리꼴, 마름모의 넓이	전개도 그리기	주사위
4주차	점대칭	다각형의 넓이	전개도와 대각선	뚜껑이 없는 상자

플라토 F시리즈 대상:초6

	F1. 평면규칙	F2. 도형조작	F3. 입체설계	F4. 공간지각
1주차	원주와 원주율	직육면체의 겉넓이	각기둥	쌓기나무의 수
2주차	원을 이용한 길이	직육면체의 부피 1	각뿔	위, 앞, 옆 모양
3주차	원의 넓이	직육면체의 부피 2	전개도	위, 앞, 옆과 수
4주차	원을 이용한 넓이	원기둥의 겉넓이와 부피	원기둥, 원뿔, 구	큐브 연결

"

The essence of mathematics is its freedom.

"

"수학의 본질은 그 자유로움에 있다."

Georg Cantor, 게오르크 칸토어

모델명 : 씨투엠 수학독해
제조년월 : 2021년 07월
제조자명 : ㈜씨투엠에듀
주소 및 전화번호 : 경기도 수원시 장안구 파장로 7(태영빌딩 3층) / 031-548-1191
제조국명 : 한국
사용연령 : 만 5세 이상

이 책의 전부 또는 일부에 대한 무단전재와 무단복제를 금합니다.

홈페이지 : www.c2medu.co.kr
지원카페 : cafe.naver.com/fieldsm

씨투엠 수학독해 S3

값 8,000원

74410
9 791162 290217
ISBN 979-11-6229-021-7

하루 10분 서술형/문장제 학습지

씨투엠

수학
독해

S4 속성 분류

5세~7세

Creative to Math

씨투엠

지식과 상상 교육연구소

since 2013 대표 한헌조, 연구소장 김성국

창의적인 생각 · **재미가득** 활동 · **의미있는** 지식 · **자유로운** 상상

생각, 활동, 지식, 상상을
수학이라는 그릇에
아름답게 담아내고 싶은
수학 교구, 교재 연구 집단입니다.

교구 프로그램

- 3D 두뇌 트레이닝 지오플릭
- 키즈디딤돌 봄봄 만지는 수학
- 생각을 감는 두뇌회전 놀이 릴브레인
- 수학 보드게임 시리즈 **필즈엠**
- 초등 창의사고력 수학 교구 프로그램 **씨투엠클래스**
- 유아 창의사고력 활동 수학 프로그램 **씨투엠키즈**
- 수학 교구 공동구매 프로젝트 **필즈엠 사구공구(4909)**
- 해법에듀 교구 활동 중심의 창의사고력 **뉴런 놀이수학**

교재 시리즈

- 생각을 감는 두뇌회전 연산 릴브레인북
- NE 매쓰큐브 하루 30분 조각연산법 **사고셈**
- 천재교육 사고력 노크 / 연산력 노크
- 공간 감각을 위한 하루 10분 도형 학습지 **플라토**
- 실전 사고력 수학 프로그램 **씨투엠RAT**
- 마법스쿨 **마법의 집중해결 수학**
- 하루 10분 서술형/문장제 학습지 **수학독해**

 **수학으로 하나되는 무한상상 공간**

필즈엠은 (주)씨투엠에듀에서 개발하고 판매하는 최신개정교과서 기반 학습교구,
교재 시스템 브랜드입니다.

수학으로 하나되는 무한상상 공간 필즈엠 카페는 수학을 좋아하는 사람들이 모여
수학 교육정보 및 교구 학습자료를 자유롭게 공유하는 커뮤니티 카페입니다.

필즈엠 카페 cafe.naver.com/fieldsm